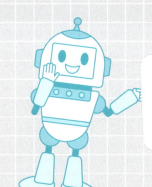

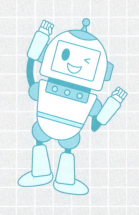

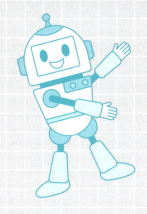

はたらくロボットずかん 4

外ではたらくロボット

監修 ▶ 平沢岳人
（千葉大学大学院工学研究院教授）

小峰書店

はじめに

田んぼや畑、山や海にもロボット！

　自然を相手にする農業や漁業、林業は、もちろん、外がしごと場です。ほかにも外でおこなうしごとには、家やビル、道路や橋をつくる建築業や建設業などがあります。このようなしごとも、たくさんのロボットがはたらいて、人間をたすけてくれています。

　今、こうした外でのしごとは「はたらく人が足りない」という大きな問題をかかえています。これらのしごとには、まだ体力のいるきつい作業や、きけんな作業が多くのこっているため、挑戦してみたいと思うわかい人たちがへってしまっています。この問題を解決する方法として注目されているのが、ロボットです。人間がつらいと思う作業を、かわってくれるロボットが登場しているのです。

　このシリーズでは、今、かつやくしているロボットや、これからかつやくしそうなロボットをしょうかいします。この本では、田んぼや畑、山や海など、外ではたらくロボットたちを見ていきます。

　この本を読み終えたみなさんは、大人が考えもしなかった「外ではたらくロボット」を思いつくかもしれません。そんなふうに、みなさんがロボットに少しでも興味をもつきっかけに、この本がなれたのなら、とてもうれしく思います。

平沢岳人
（千葉大学大学院工学研究院教授）

この本の見方

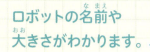

ロボットの名前や大きさがわかります。

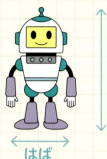

高さ
はば

「奥行き」は、ロボットのしゅるいや形によって、「長さ」にかわる場合があります。

奥行き

どのようなときに、人間の手だすけをしてくれるロボットなのかがくわしく書かれています。

どうして、このロボットがつくられたかが書かれています。

ロボットがつくられる、きっかけとなった、人間の「こまりごと」がわかります。

このロボットがあれば、わたしたち人間に、どのように役立つかがわかります。

ロボットがどのようなしくみで、うごいたり話したりしているかがわかります。

どこがすごいのか、ロボットのひみつがわかります。

「もっと知りたい！ はたらくロボット」では、ほかにもかつやくしているロボットたちをしょうかいします。

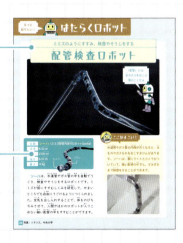

名前や大きさ、どのようなロボットなのか、ロボットの「ここがすごい！」ところがせつめいされています。

ぼくは、ロボタ。この本を案内するよ。さあ、外ではたらく、ぼくのなかまたちを見にいこう！

外ではたらくロボットたち

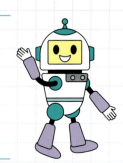

伐採ロボット
6ページ

枝打ちロボット
27ページ

3Dプリンターロボット
18ページ

鉄道整備ロボット
22ページ

配管検査ロボット
26ページ

この本では、外ではたらくロボットたちをしょうかいします。
ロボットは農業や漁業、林業など、外でおこなうしごとでもかつやくしています。
ロボットが、どのように人をたすけてくれているのか、見ていきましょう。

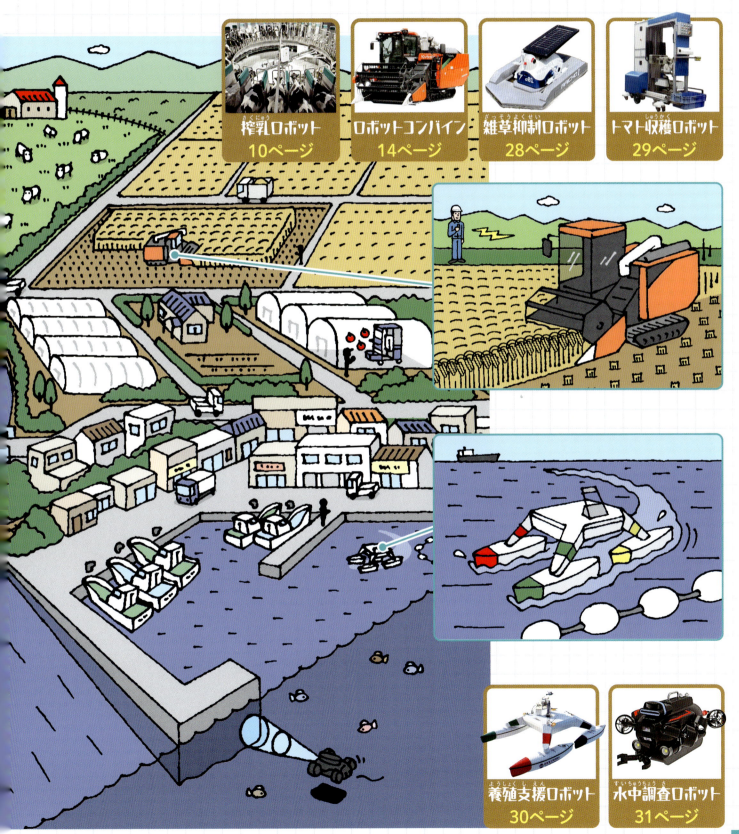

搾乳ロボット 10ページ
ロボットコンバイン 14ページ
雑草抑制ロボット 28ページ
トマト収穫ロボット 29ページ
養殖支援ロボット 30ページ
水中調査ロボット 31ページ

木を切り、枝をおとし、丸太をつくる
伐採ロボット

名前	ハーベスター
はば	277.6cm
奥行き	801.5cm
高さ	397.5cm
重さ	21.9t

※ハーベスターには、たくさんのしゅるいがあります。上のサイズは、ハーベスター931 XCの大きさです。

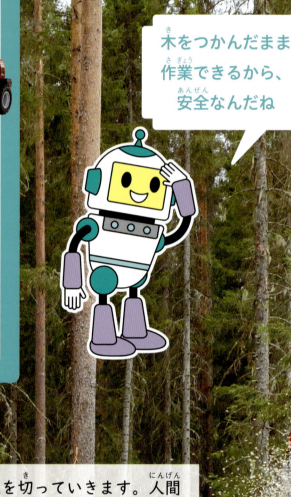

木をつかんだまま作業できるから、安全なんだね

木をつかんで、根元を切っていきます。人間が手作業でやるよりもはやく切り分けられるし、道具でけがをする心配もありません。

ハーベスターは、山の中に入り、大きくそだった木を切って、丸太にしてくれる伐採ロボットです。切られた丸太は、家や家具をつくるための材料になります。
　ハーベスターは、太い木の根元をしっかりとつかんで、ついている電動ののこぎりで切ります。そして、木をつかんだまま横にして枝を切りおとし、きめられた長さの丸太をつくります。

このロボットは、どうしてつくられたのでしょう？

写真：コマツ

このロボットは安全に木を切り、丸太にするためにつくられました！

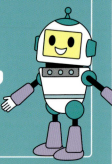

長くしごとをしている人のこまりごと

20年しごとをしていますが、たおれた木に人がまきこまれないように、いつも安全に注意しています。

しごとをはじめたばかりの人のこまりごと

しごとをはじめて1年目です。木の切り方を学んでいますが、むずかしく時間がかかっています。

安全に短い時間で、たくさんの丸太がつくれるようになる

山のしゃ面で大木を切る作業は、たおれた木にまきこまれて下じきになったり、道具でけがをしたりと、きけんなこともある、たいへんなしごとです。

このロボットがあれば、木を丸太にするまでを1台でできます。木をたおさずにつかんだまま作業できるので、ロボットのうごかし方をおぼえれば、安全に短い時間で多くの丸太をつくることができます。

教えて！ロボットのしくみとひみつ

しくみ

アーム
人間のうでの役目をするところ。23tまでの重さのものなら、ささえたり、もち上げたりできます。

ハーベスターヘッド
木をはさんで、切るところ。強い力で木をつかんで、ついている電動のこぎりで木を切ります。

運転席
人間がここにのって、うごかします。作業をしやすいように、ぐるりと一周、回転させることができます。

タイヤ
しゅるいによって、6輪と8輪があります。力が強く、けわしい山道も、楽々とすすむことができます。

ひみつ1 どうして安全に作業できるの？

木を地面にたおさず、しっかりつかんだまま作業できるので、たおれた木の下じきになるようなじこがおきにくくなります。また、アームはいちばん長くて11mまでのばせるため、安全な場所で作業ができます。

ひみつ2 けわしい山をどのように移動しているの？

山には、でこぼこした道や急な坂がたくさんあります。ハーベスターは、左右のタイヤをべつべつにうごかすことができて、タイヤにすべり止めもとりつけられるので、かなりけわしい場所でもすすむことができるのです。

自動で乳しぼりをして、牛乳をあつめる
搾乳ロボット

名前	デイリープロQ (DAIRYPROQ)
はば	30cm
奥行き	200cm
高さ	206cm
重さ	293kg

※上のサイズは、ロボット1体の大きさです。

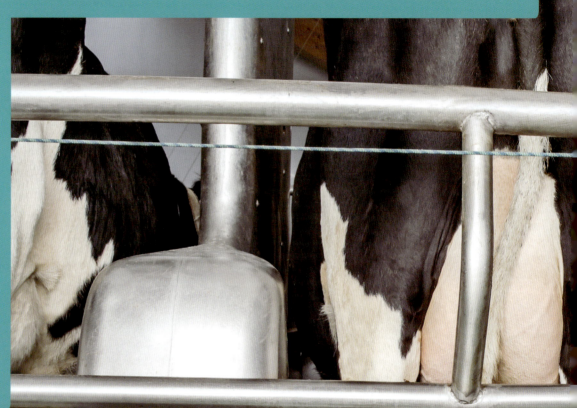

「搾乳」とは乳をしぼってとることをいうんだよ

写真：オリオン機械

機械が自動でくっつくと、お乳をマッサージして搾乳をはじめます。しぼった牛乳は、ホースを通って、1か所にあつめられます。外の空気にふれないので、きれいで安全な牛乳がとれます。

デイリープロQは、人手や時間をかけずに、牛の乳をしぼってくれる、搾乳ロボットです。今も、搾乳を機械でしている牧場は多いですが、1頭1頭のお乳に人が機械をとりつけなくてはいけないため、とても時間がかかっています。
　デイリープロQは、搾乳をするたくさんの機械が自動でうごき、牛のお乳にくっついて、しぼってくれます。

このロボットは、どうしてつくられたのでしょう？

このロボットは搾乳の作業を楽にするためにつくられました！

牧場主のこまりごと

牛が150頭いるので、世話だけでもたいへん。はたらく人のしごとをへらしてあげたいです。

搾乳をする人のこまりごと

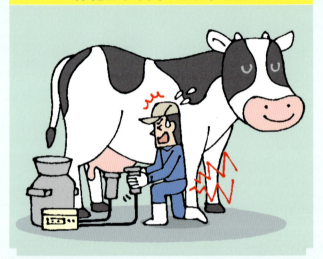

搾乳の機械を1つずつつける作業は、何人かで手分けをしても、たいへんでつらいしごとです。

搾乳をまかせられるので、牛の世話だけに集中できる

牛を飼育し、バターやチーズなどのもとになる牛乳をとるしごとを「酪農」といいます。毎日2回、何百頭もの搾乳をする酪農は、たいへんなしごとです。

このロボットがあれば、一度に多くの牛の搾乳が自動でできます。搾乳をまかせられるので、人間はえさやりや牛舎のそうじなど、牛が気もちよくすごすための世話だけに時間をつかえるようになります。

教えて！ロボットのしくみとひみつ

しくみ

ティートカップ
自動で牛のお乳にくっついて、マッサージをしたり、しぼったりするための機械です。しぼりおわったら、自動で中がそうじされます。

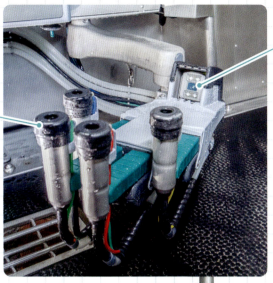

3Dカメラ
機械が牛の体にぶつからないように、お乳を見分けます。安全にティートカップにお乳が入るように位置をきめます。

自動でつけるのがむずかしい牛には、後ろから手でつけることができます。

ライブモニター
1頭1頭の牛の搾乳のようすが、画面を見ながらたしかめられます。

ひみつ1 100頭の搾乳には、どれくらい時間がかかるの？

人間が手で搾乳をすると1頭の牛に20分かかり、100頭なら30時間もかかります。デイリープロQは、120～400頭の搾乳をたった1時間でできます。人間がひとりいれば、予定した時間で搾乳をおわらせられます。

ひみつ2 どのように搾乳しているの？

❶ティートカップがつくと、❷中ではすぐに、お乳のマッサージがはじまります。

❸お乳をあらい、❹少ししぼって、牛乳に血やごみがまじっていないかをしらべます。

❺搾乳をはじめます。
❻おわったら、さいごに、病気にならないようにお乳を消毒します。

13

自動運転でイネをかりとってくれる
ロボットコンバイン

名前	アグリロボコンバイン（DRH1200A）
はば	249cm
奥行き	631cm
高さ	286cm
重さ	5430kg

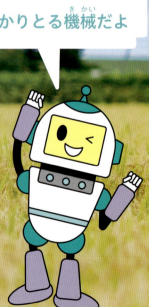

コンバインはイネやムギをかりとる機械だよ

写真：クボタ

アグリロボコンバインは、人間がのらなくてもイネをかりとり、イネから「もみ（からのついた米）」をとって、収穫してくれるロボットコンバインです。パンやうどんなどになる、ムギをかりとることもできます。

はじめに田んぼのふちを１周だけ、人間がのってイネかりをします。すると、ロボットが田んぼの形をおぼえて、のこりを自動運転でかりとっていきます。どうすすめば、むだを出さずに短い時間で収穫できるかを自分で考え、広い田んぼの中をうごきます。

このロボットは、どうしてつくられたのでしょう？

かりとったもみは、タンクにためておきます。タンクがいっぱいになると、もみをはこぶトラックのある場所まで自動で移動してうつします。うつしおわると、とちゅうになっていた場所にもどり、作業をつづけます。

このロボットは広い田んぼでもひとりで収穫できるようにつくられました！

お年よりだけの農家のこまりごと

子どもは農家になる気はないし、しごとを手つだってくれる人も見つからず、こまっています。

田んぼをまかされた人のこまりごと

農家をやめた人から田んぼを引きつぎましたが、広くなりすぎて田植えもイネかりもたいへんです。

少人数でも、田んぼが広くても自動で楽にむだなくイネかりができる

米づくりは、春から秋までつづく、たいへんなしごとです。近ごろ、農業をするわかい人がへり、お年よりだけの農家もふえているので、農業は人手不足が大きな問題になっています。

このロボットがあれば、ひとりでも自動で楽にイネかりができます。また、田んぼが広くてもむだなく作業するので、短時間で米が収穫できます。

教えて！ロボットのしくみとひみつ

しくみ

ミリ波レーダー
前と後ろに2つあり、近くにある、農業用の機械や自動車を見分けます。

レーザーセンサー
田んぼと田んぼの間にある、あぜの高さや、イネやムギなどの作物の高さをはかります。

GPSアンテナ
地球のまわりを回っている、人工衛星から自分のいる場所の情報をうけとります。

AIカメラ
前後左右に4つあり、まわりの人やものを見分けます。

運転席
はじめの1周だけは、人間がのりこんでイネかりの作業をします。モニターを見ながら、わかりやすく作業がすすめられます。

タンク
かりとったイネからはずした、もみをためておくところ。2300リットル（おふろの浴槽およそ10杯分）の作物を入れることができます。

ひみつ1　どうして無人で作業できるの？

人間が1周のってイネかりをすると、田んぼの形をおぼえ、地図をつくります。地図からむだのない道順をつくり、GPSやセンサーをつかって、道順どおりにイネかりをします。人間は、遠くから見まもるだけでよくなります。

ひみつ2　作物とほかのものをどうやって見分けているの？

4つのAIカメラと2つのミリ波レーダーで人間や機械を見分けて、ぶつからないようによけながら作業します。また、大雨や風で作物がたおれていても、かるときの高さやスピードを自動でかえて、かりとっていきます。

設計図から立体のものを自動でつくる
3Dプリンターロボット

名前
3Dコンクリートプリンター

はば	70cm
奥行き	310cm
高さ	350cm
重さ	1150kg

※上のサイズは、アームをのばした姿勢のときの大きさです。

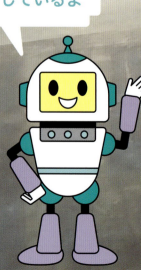

大きな建物をつくる建設会社でかつやくしているよ

写真：清水建設

3Dコンクリートプリンターは、コンピューターにとりこんだ設計図どおりに、柱やかべなどの建物の一部を、自動でつくってくれるロボットです。

3Dプリンターとは、紙に平面の図を印刷するのではなく、奥行きもある立体のものをつくる機械のことをいいます。

3Dコンクリートプリンターがつくるものは、かたまるとコンクリートになる材料をつかいます。コンクリートになる材料をつみ上げたり、ふきだしたりして、形をつくっていきます。

このロボットは、どうしてつくられたのでしょう❓

設計図と材料さえあれば、丸や四角といった形のものだけでなく、かわった形のものも、つくることができます。

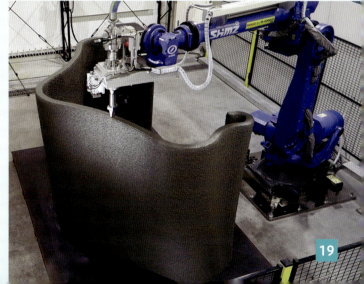

このロボットは作業する人や時間をへらすためにつくられました！

作業員のこまりごと

人が足りないため、しごとがふえて、つかれてミスが多くなると、けがが心配です。

建設会社の社長のねがいごと
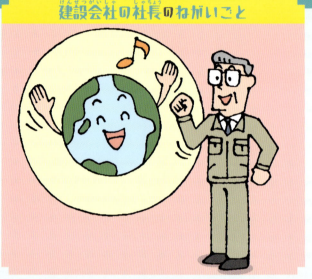
工事の時間をへらし、電気代やガソリン代のむだをなくし、地球にやさしいしごとにかえたいです。

安全に短時間で、柱やかべをつくれるようになる

建物をつくる現場では、クレーン車やショベルカーなどの大きな機械をつかったり、重いものをはこんだりするため、どうしてもきけんな作業が多くなります。

このロボットがあれば、人間にかわって、短時間で安全に柱やかべがつくれます。また、工事の時間が短くなれば、つかう電気やガソリンもへらせるので、地球にやさしいしごとができるようになります。

教えて！ロボットのしくみとひみつ

しくみ

ノズル
アームの先にあって、作業に合わせてつけかえられます。上のホースからおくられてくる材料をつみ上げたり、ふきつけたりできます。また、形をととのえることもできます。

関節
人間のひじやひざのようにまがるところや、回転するところが6か所あります。

アーム
人間のうでの役目をするところ。設計図をもとに、自動でうごきます。

ひみつ1 どのように柱やかべをつくるの？

材料をつみ上げる方法や、横からふきだす方法で形をつくります。横からふきだす方法ができるようになってから、「鉄筋」という鉄の棒を入れた、がんじょうな柱やかべもロボットだけでつくれるようになりました。

ひみつ2 これから先、建物はどのようにつくられるの？

少し先の未来では、建設の現場ではたらくのは3Dプリンターロボットや人型ロボット、空をとんで材料をはこぶドローンだといわれています。人間のしごとは、現場でロボットを見まもり、はなれた場所でロボットをうごかすだけになります。

21

高い場所での作業をまかせられる
鉄道整備ロボット

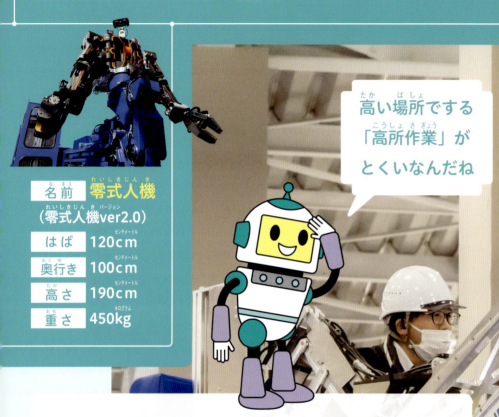

名前	零式人機
	（零式人機ver2.0）
はば	120cm
奥行き	100cm
高さ	190cm
重さ	450kg

高い場所でする「高所作業」がとくいなんだね

零式人機は、人間にかわって高い場所で作業をする、大きな人型ロボットです。クレーン車の先にとりつけられるので、鉄道整備ロボットとして、鉄道の電線や信号などの点検や修理などをすることができます。

このロボットは、人間がそうじゅう席からレバーをそうさしてうごかします。右の写真のように、ロボットどうしで協力して作業し、重いもののうけわたしをすることもできます。

このロボットは、どうしてつくられたのでしょう？

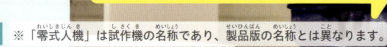

22　※「零式人機」は試作機の名称であり、製品版の名称とは異なります。

うでには、たくさんのセンサーがつけられています。うごかす人がレバーをそうさすることで、コンピューターでうでの力を計算し、力を強めたり弱めたりしながら作業します。

写真：JR 西日本、日本信号、人機一体

このロボットは きけんな高所作業をするために つくられました！

鉄道整備をする人のこまりごと

鉄道整備は、高所作業が多いのですが、きけんなしごとはできるだけへらしてもらいたいです。

ロボットをつくった人のねがいごと

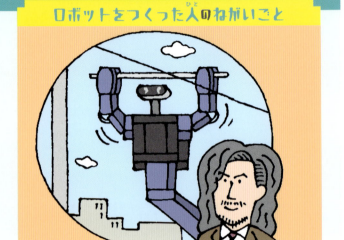

鉄道だけでなく、ほかでも人がきけんな作業をしなくてすむように、ロボットを役立てたいです。

高い場所や、ほかのきけんな場所でも人間にかわって作業ができる

©JR西日本・日本信号

※上のロボットは、零式人機ver2.0をもとにつくられた製品版です。

鉄道整備は、高い場所での作業が多いしごとです。さらに、電車の運行がおわってから夜おそくにおこなうため、どうしてもきけんな作業がふえてしまいます。
このロボットがあれば、鉄道の高所作業で人がおちたり、感電したりしないで安全に作業ができます。今後は、大きな建物をたてる現場や、発電所のようなきけんな場所でもはたらくかもしれません。

教えて！ロボットのしくみとひみつ

しくみ

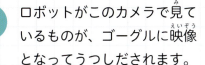

アーム
人間のうでの役目をするところ。長さは140cmで、2つのうでを広げると、380cmになります。また、1つのうでで20kgのものをもち上げられます。

カメラ
ロボットがこのカメラで見ているものが、ゴーグルに映像となってうつしだされます。

ハンド
大きいものから小さいものまで、はさんでもつことができます。

そうじゅう席
ロボットをうごかす人は、ここに入ってゴーグルをつけます。うつしだされた映像を見ながらうごかします。

ひみつ1 ほかにどんなところではたらいているの？

ロボットは、クレーン車や高所作業車にとりつけられるので、作業する場所まで道路を移動できます。信号機をとりつける工事や、トンネルのコンクリートにひびが入っていないかを点検する作業もできるのです。

ひみつ2 どこがいちばんすごいところなの？

ロボットは、40kgのものをもち上げる力があります。それだけでなく、細いロープでちょうちょ結びもつくれます。このように力を思ったとおりにあやつって、いろいろな作業ができるところがいちばんすごいところです。

©森山和道

写真：森山和道、JR西日本、日本信号、人機一体

> もっと知りたい！

はたらくロボット

ミミズのようにすすみ、検査やそうじをする
配管検査ロボット

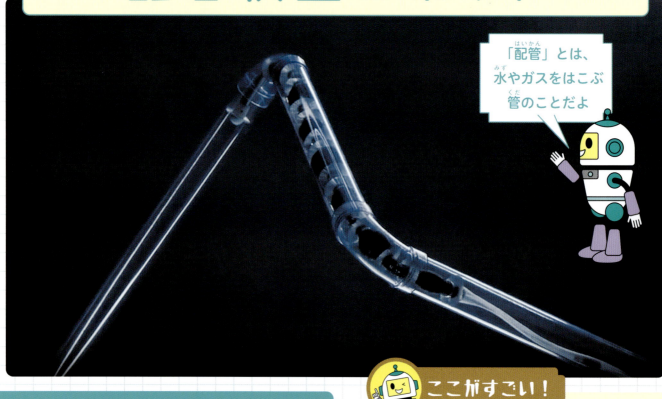

「配管」とは、水やガスをはこぶ管のことだよ

名前	ソーハ（ミミズ型管内走行ロボットSooha）
はば	6.5cm
長さ	210cm
高さ	6.5cm
重さ	6kg

カメラ　ブラシ

ここがすごい！

水道管やガス管の内側が古くなると、水もれやガスもれをおこすきけんがあります。ソーハは、頭にライトとカメラがついていて、暗い配管の中でも、すみずみまで検査をすることができます。

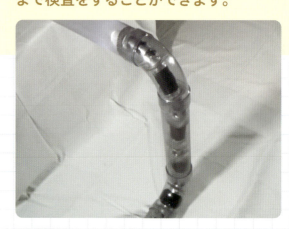

　ソーハは、水道管やガス管の中を自動でうごき、検査やそうじをするロボットです。ミミズが前にすすむしくみを研究して、せまいところでも自由にうごけるようにつくられました。空気を出し入れすることで、体をのびちぢみさせて、人間やほかのロボットが入りこめない細い配管の中をすすむことができます。

26　写真：ソラリス、中央大学

自動で木をのぼり、枝を切りおとす
枝打ちロボット

木を大きくそだてたり、虫からまもったりするために、よぶんな枝を切りおとすことを「枝打ち」といいます。**エディー**は、木の根元にとりつけると、自動でのぼりながら、枝打ちをしてくれるロボットです。高い木にのぼり、枝を切るのはきけんな作業です。エディーは、安全に枝打ちをするためにつくられました。

ここがすごい！

エディーは、のこぎりをおりたたむと、背負えるくらい小さくなります。かるいので、山でのもちはこびにもべんりです。また、枝を切った木の太さや場所、時間を記録して、パソコンでたしかめられます。

名前	エディー（eddy）
はば	56cm
奥行き	49cm
高さ	70cm
重さ	11kg

のこぎり

写真：イー・バレイ

アイガモのように田んぼをうごき回る
雑草抑制ロボット

田んぼにアイガモをおよがせて雑草をへらす、米づくりの方法があります。アイガモが足をばたつかせ、田んぼの水をにごらせると、日光がさえぎられて雑草がそだたなくなるのです。雷鳥1号は、アイガモのかわりとしてつくられたロボットです。何台かを同時におよがせると、田んぼのすみずみまで、短時間でうごき回ります。

名前	雷鳥1号
はば	38cm
奥行き	60cm
高さ	25cm
重さ	2kg

ここがすごい！

雷鳥1号のせなかには、太陽の光をあつめて電気をつくる、太陽光パネルがついています。太陽光パネルでつくった電気で、アイガモの足のかわりになるひれを、水の中でバタバタとうごかしています。

「抑制」は、おさえる、という意味だよ

写真：テムザック

もっと知りたい！ はたらくロボット

食べごろを見分けて収穫する
トマト収穫ロボット

トマト収穫ロボットは、自動でトマトを、とりいれてくれるロボットです。カメラでトマトの色や形を見て、コンピューターが、食べごろのトマトをしらべます。そして、アームをのばして、トマトの実をつぶさないようにつみとります。数日後に食べごろになるトマトを、えらんでとることもできます。

アーム

名前	トマト収穫ロボット
はば	95cm
奥行き	160cm
高さ	180cm
重さ	200kg

レール

ここがすごい！

トマト収穫ロボットは、畑にしかれたレールの上を走ります。きめられた道すじを、トマトの実をとりいれながら自動ですすみます。24時間365日、無人での収穫をめざしています。

写真：パナソニック ホールディングス

貝や海そうの成長をたしかめる
養殖支援ロボット

ロボセンは、水上のドローンです。4つの小さな船が向きをかえ、すすんだり止まったりします。水中カメラをつかい、養殖しているカキやトリガイ、ノリなどが海の中でどのようにそだっているかをしらべることができます。ほかにも、海や川の水質をしらべたり、ダムを点検したりして、かつやくしています。

ここがすごい！

音を出すそうち／水質をしらべるセンサー

水質や深さをしらべるときは、ながされないように船の向きをかえます。水質をセンサーでしらべたり、音を出すそうちで海の深さをはかったりします。30mの深さの場所ではたらくことができます。

名前	ロボセン
はば	160cm
奥行き	250cm
高さ	70cm
重さ	110kg

船

ならんだブイの下で、カキが養殖されているよ

もっと知りたい！ はたらくロボット

きけんな水中をもぐって点検してくれる
水中調査ロボット

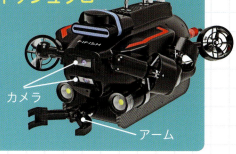

名前 ファイフィッシュプロ
（FIFISH PRO W6）
はば 46.9cm
奥行き 70cm
高さ 29.7cm
重さ 20kg

カメラ
アーム

ここがすごい！

ファイフィッシュプロには、音波（水中につたわる音のゆれ）を出し、水中にあるものをしらべられる、「ソナー」というそうちがついています。海の中でも、ものの形や大きさをしらべることができます。

ファイフィッシュプロは、海や川、湖などにたつ建物を点検したり、水質をしらべたりできる、水中調査ロボットです。橋やダム、海の上にたつ風力発電の風車などの水中部分の点検ができます。人間がリモコンでうごかすことで、深さ350mまでなら、カメラでさつえいしたり、アームで海底や川底にあるものをつかんだりできます。

写真：CFD販売

31

監修

平沢 岳人 ひらさわ・がくひと
千葉大学大学院工学研究院教授。1964年生まれ。東京大学建築学科卒業、同大学院工学研究科修了、博士（工学）。建設省（当時）建築研究所第四研究部、仏建築科学技術センター(CSTB)客員研究員、仏国立情報学自動制御研究所(INRIA)招聘研究員を経て、2004年より千葉大学工学部助教授。建築ものづくりにロボットを応用する研究に従事。

国語指導

流田 賢一 ながれだ・けんいち
大阪市立堀川小学校教諭。1982年、大阪府出身。2005年、大阪教育大学教育学部卒業後、大阪市立西淡路小学校に教員として勤務する。2015年、国語科の授業づくり、社会で必要となる力の育成について研究したいという思いから、大阪教育大学連合教職大学院に進学。現在、大阪市立堀川小学校で、首席として他の教職員の指導にもあたっている。

協力企業・団体一覧（掲載順）

株式会社小松製作所／オリオン機械株式会社／株式会社クボタ／清水建設株式会社／西日本旅客鉄道株式会社、日本信号株式会社、株式会社人機一体／株式会社ソラリス、学校法人中央大学／イー・バレイ株式会社／株式会社テムザック／パナソニック ホールディングス株式会社／日本海工株式会社／CFD販売株式会社

監修	平沢岳人
国語指導	流田賢一
装丁・本文デザイン	倉科明敏（T.デザイン室）
企画・編集	山岸都芳・渡部のり子（小峰書店） 川邊剛彦・古川貴恵・楠本和子・渡邊里紗（303BOOKS）
イラスト	バーヴ岩下

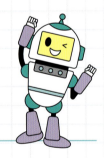

はたらくロボットずかん ❹
外ではたらくロボット

2025年4月6日　第1刷発行

発行者　小峰広一郎
発行所　株式会社小峰書店
〒162-0066 東京都新宿区市谷台町 4-15
TEL 03-3357-3521　FAX 03-3357-1027
https://www.komineshoten.co.jp/
印刷・製本　TOPPANクロレ株式会社

乱丁・落丁本はお取り替えいたします。
本書の無断での複写（コピー）、上演、放送等の二次利用、翻案等は、著作権法上の例外を除き禁じられています。
本書の電子データ化などの無断複製は著作権法上の例外を除き禁じられています。代行業者等の第三者による本書の電子的複製も認められておりません。

© 2025 Komineshoten Printed in Japan
NDC548　31p　29×23cm
ISBN978-4-338-37104-9

ロボットをしょうかいしよう！

書き方のれい すきなロボットをえらんで、ロボットせつめい書をつくりましょう。

ロボットせつめい書　2年 2組 名前 こみね みこ

自分がしょうかいしたいロボットをえらんで、□に✓を入れましょう。

- ✓ 6～25ページにのっているロボット
- □ 自分で考えたロボット

ロボットの名前　ハーベスター

ロボットの絵

●どこで、どんなことをするロボットですか？

山で大きくそだった木を切って、丸太にしてくれるばっさいロボットです。木をつかんだまま、よこにしてえだを切りおとし、丸太をつくります。

●だれのどんなこまりごとから、つくられましたか？

長く木を切るしごとをしている人でも、たおれた木にまきこまれないように、いつもあんぜんにちゅういしています。

●どんなしくみやひみつがありましたか？

人間のうでのやくめをするアームは、23トンまでのおもさのものなら、ささえたり、もち上げたりできます。

●このロボットがあれば、わたしたち人間に、どのように役立つと思いましたか？

大木を切るさぎょうは、たおれた木にまきこまれて下じきになったり、どうぐでけがをしたりと、きけんなこともある、たいへんなしごとです。ハーベスターは、木をたおさずにつかんだままさぎょうできるので、あんぜんにみじかい時間で多くの丸太がつくれると思いました。

えらんだロボットの名前を書きましょう。

ロボットがいる場所とできることを書きましょう。

ロボットがつくられたきっかけを1つ書きましょう。

えらんだロボットの絵をかきましょう。

すごいと思ったしくみやひみつを1つ書きましょう。

ロボットがどのようにかつやくし、わたしたちの役に立っているのかを書きましょう。

大阪市立堀川小学校教諭　流田賢一先生より

「ロボットせつめい書」に書かれた質問の答えを、本の中からさがします。クイズに答えるように、大事な言葉を見つけましょう。「だれのどんなこまりごとから、つくられましたか？」という質問の答えは、だれかの「こまりごと」が本の中に書かれているはずなので、さがしてみてください。なんども書くと、短い言葉でせつめいできるようになります。自分で考えたロボットのせつめいにも、つかってみてくださいね。

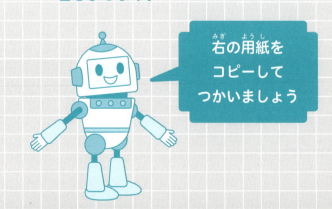

右の用紙をコピーしてつかいましょう